هُوَ رَوْعَةُ الْحُصولِ عَلى صَديقٍ.

لكِنَّ أَفْضَلَ مِنْ ذلِكَ كُلِّهِ،

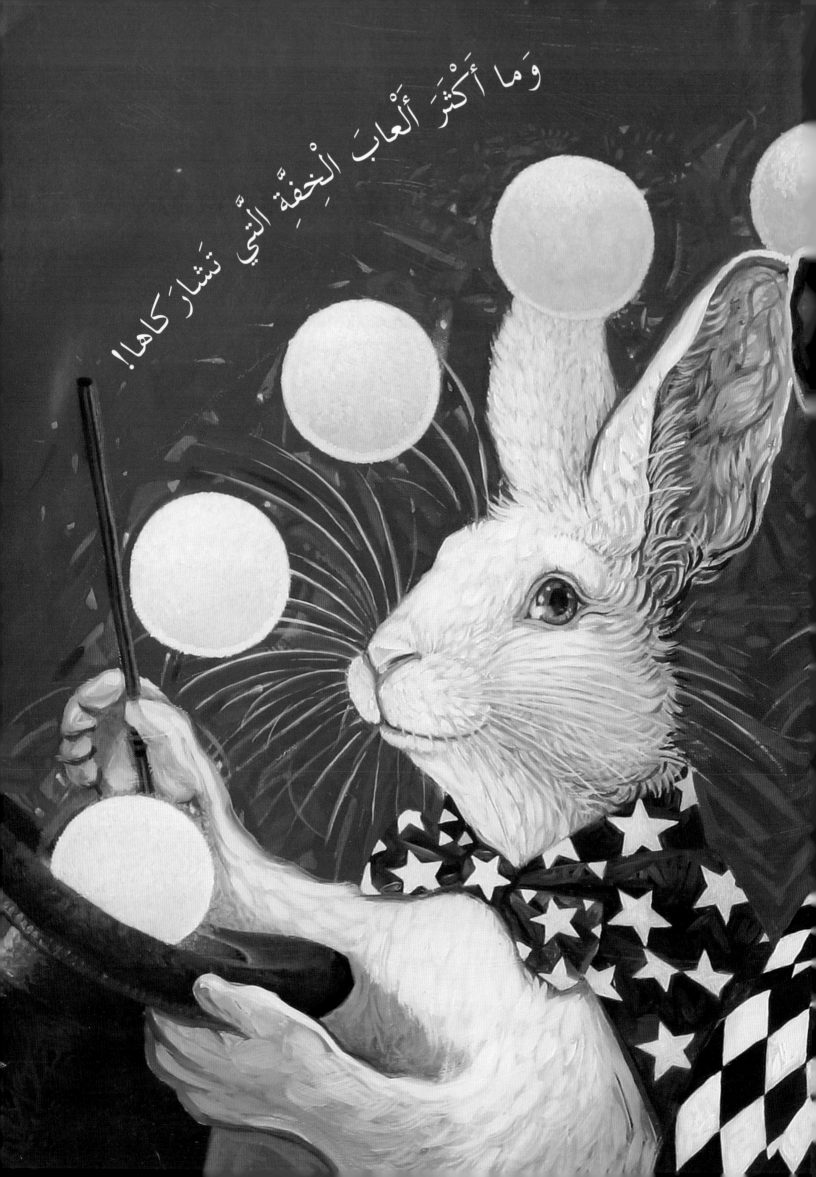

وَما أَكْثَرَ أَلْعابَ الْخِفَّةِ الَّتي تَشارَكاها!

آهِ، ما أَكْثَرَ الأَوْقاتَ الْجَميلَةَ الَّتي أَمْضَياها!

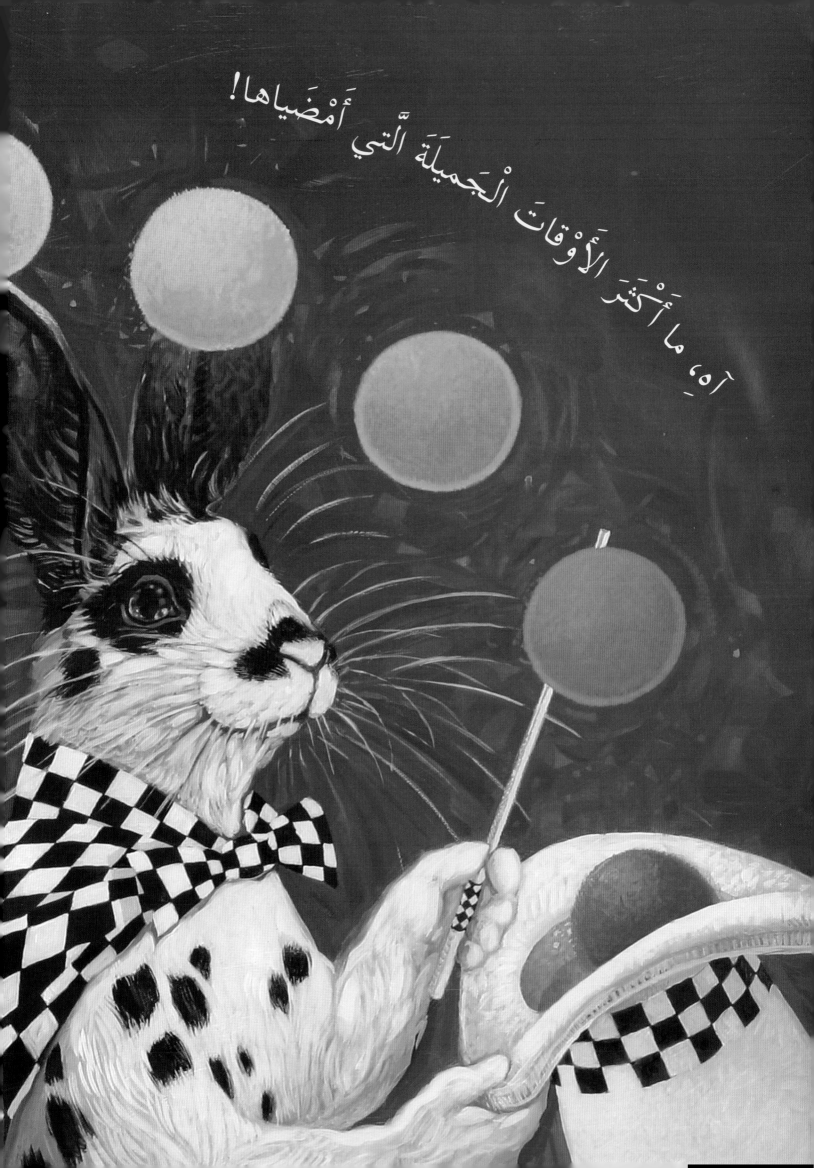

قَفَزَ أَرْنَبٌ عَجيبٌ
آخَرُ مِنَ الْقُبَّعَةِ
الْجَديدَةِ.

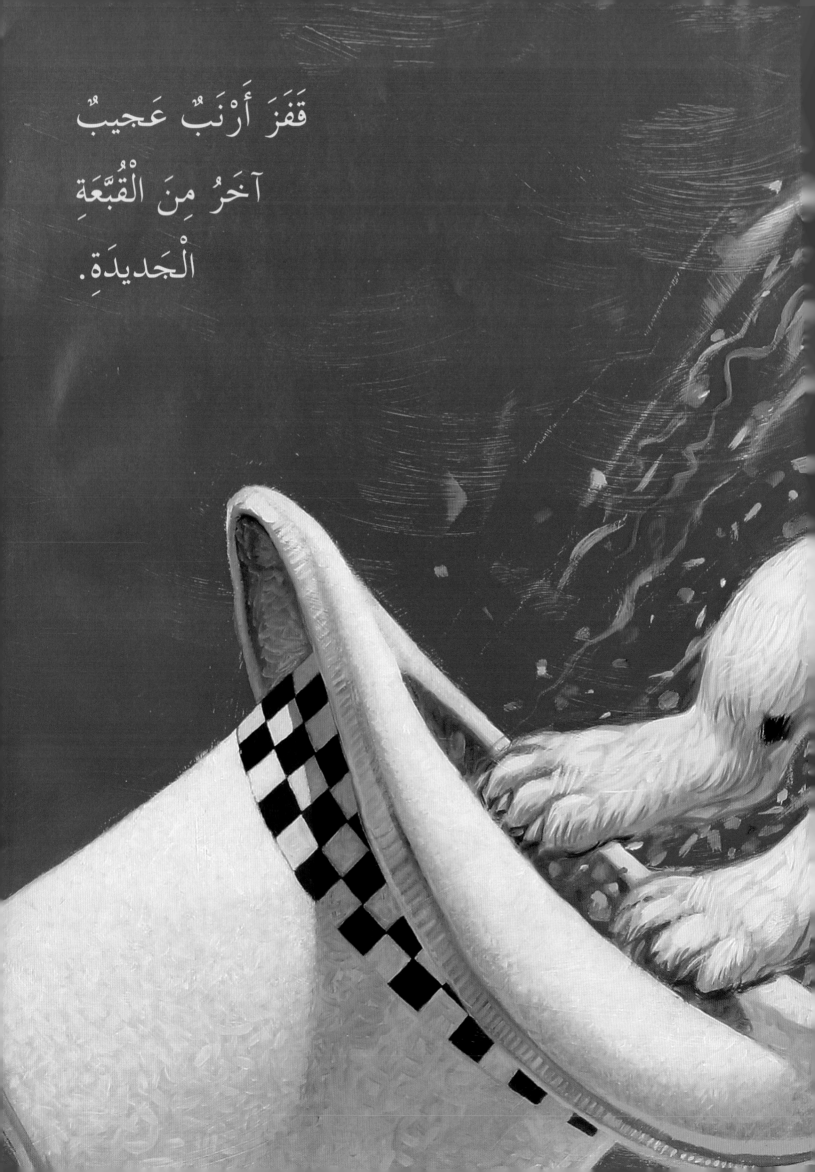

وَبِسُرْعَةٍ!

تُرى، ماذا في داخِلِها؟

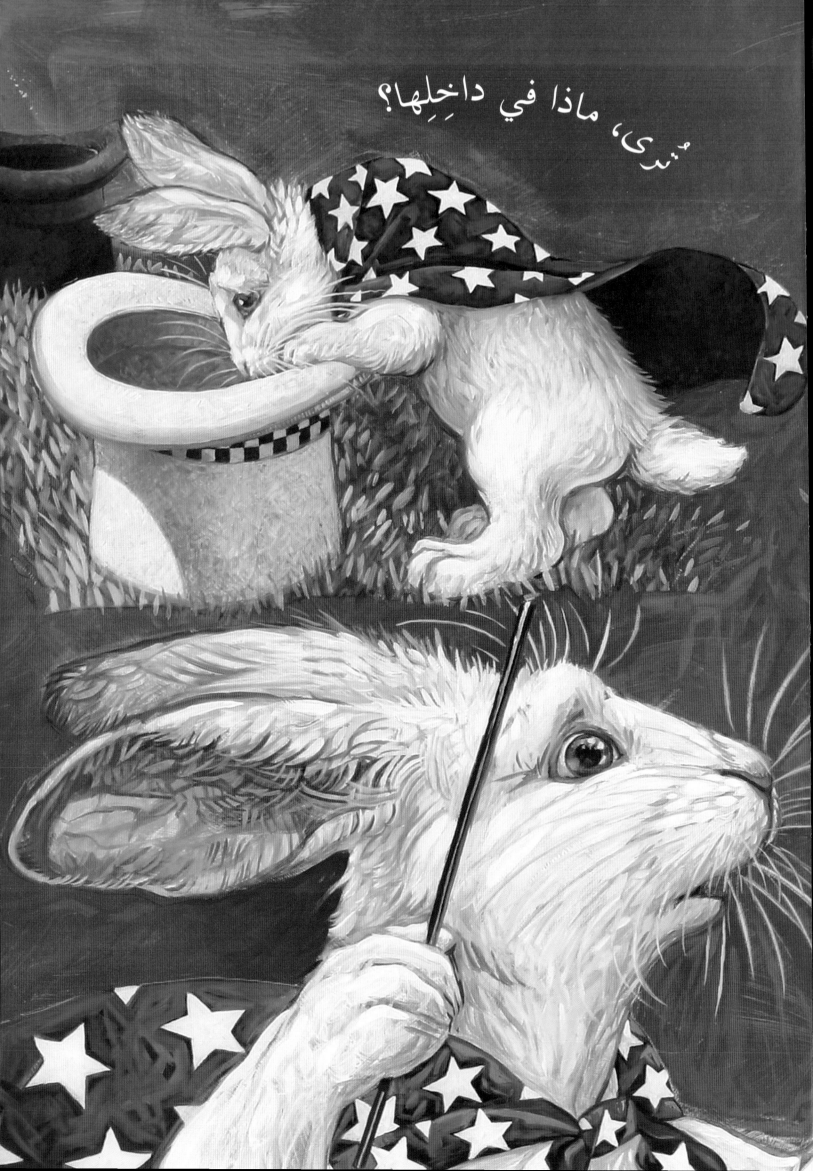

قالَ الأَرْنَبُ مُتَنَهِّدًا:

«يا لَسوءِ حَظّي!»

لكِنَّهُ عَثَرَ، فَجْأَةً،

عَلى قُبَّعَةٍ أُخْرى

داخِلَ قُبَّعَتِهِ.

لكِنَّها رَفْرَفَتْ، وَرَفْرَفَتْ، وَطارَتْ بَعيدًا.

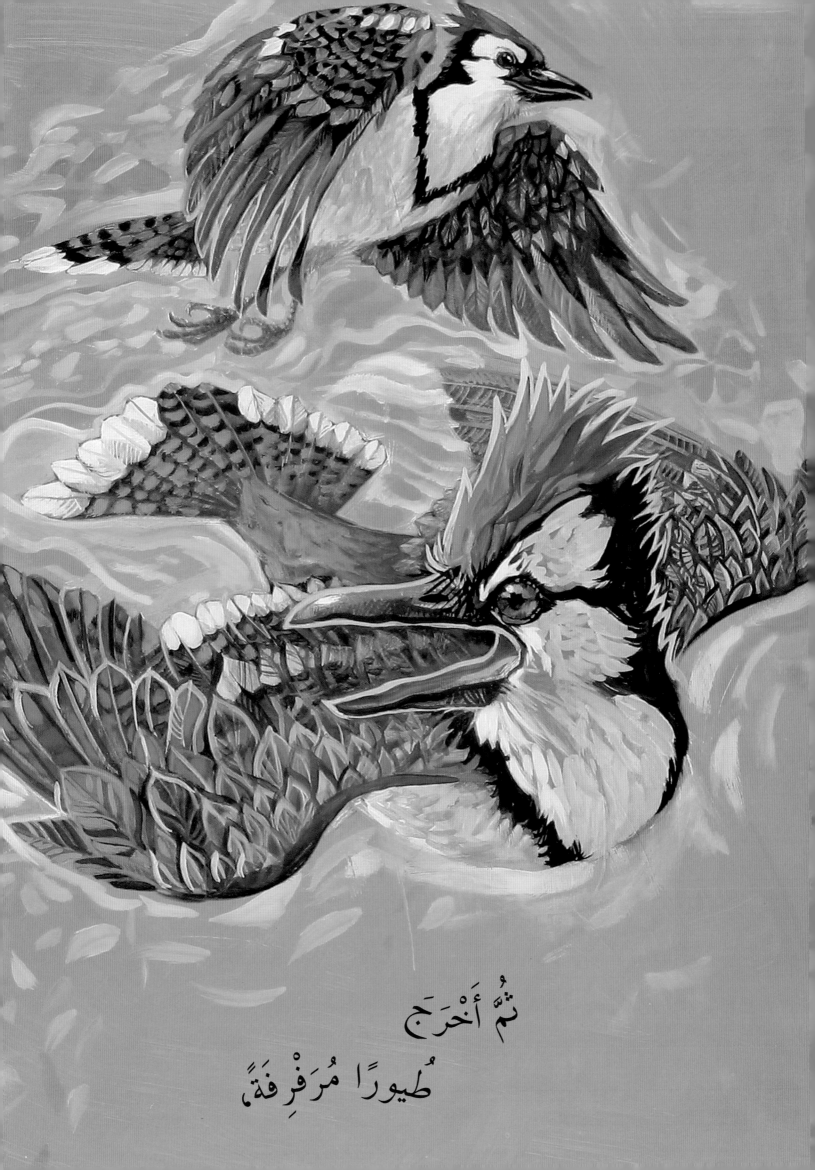

ثُمَّ أَخْرَجَ

طُيورًا مُرَفْرِفَةً،

لكِنَّهُما رَكَضا، وَرَكَضا،
وَرَكَضا بَعيدًا.

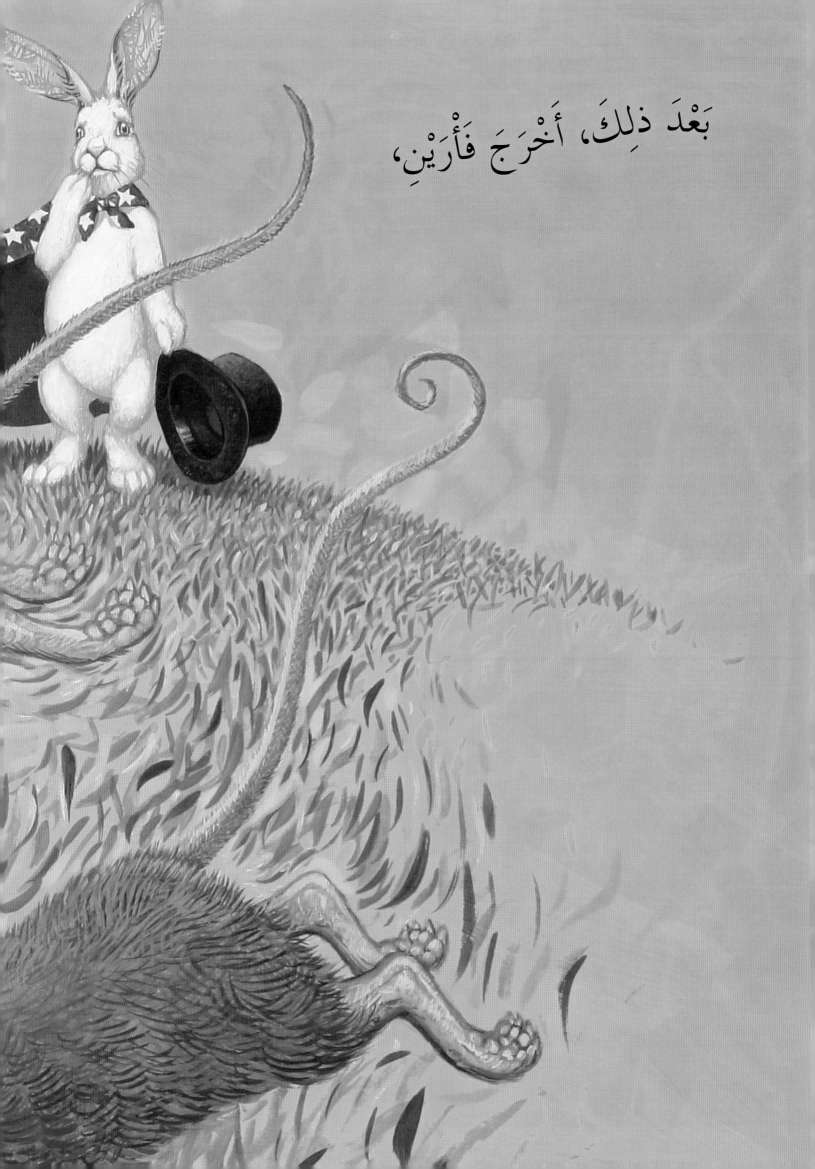

بَعْدَ ذلِكَ، أَخْرَجَ فَأْرَيْنِ،

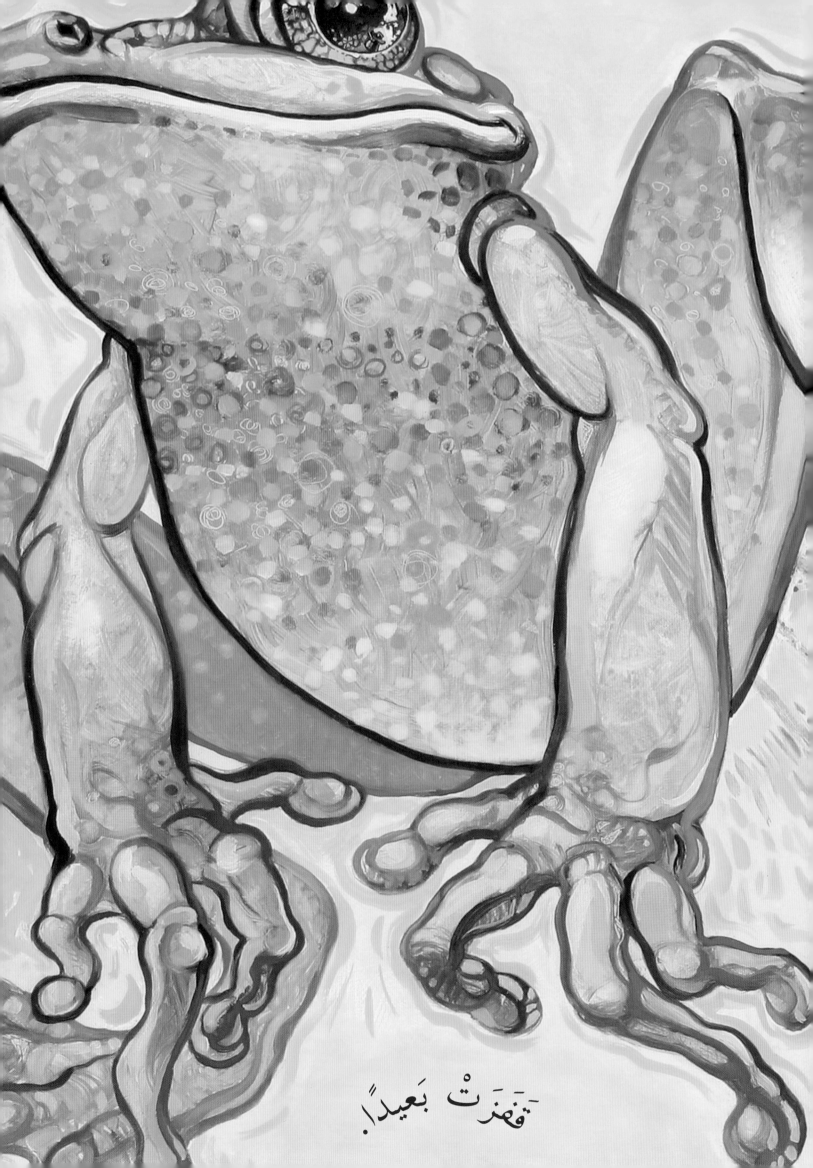

قَفَزَتْ بَعِيداً!

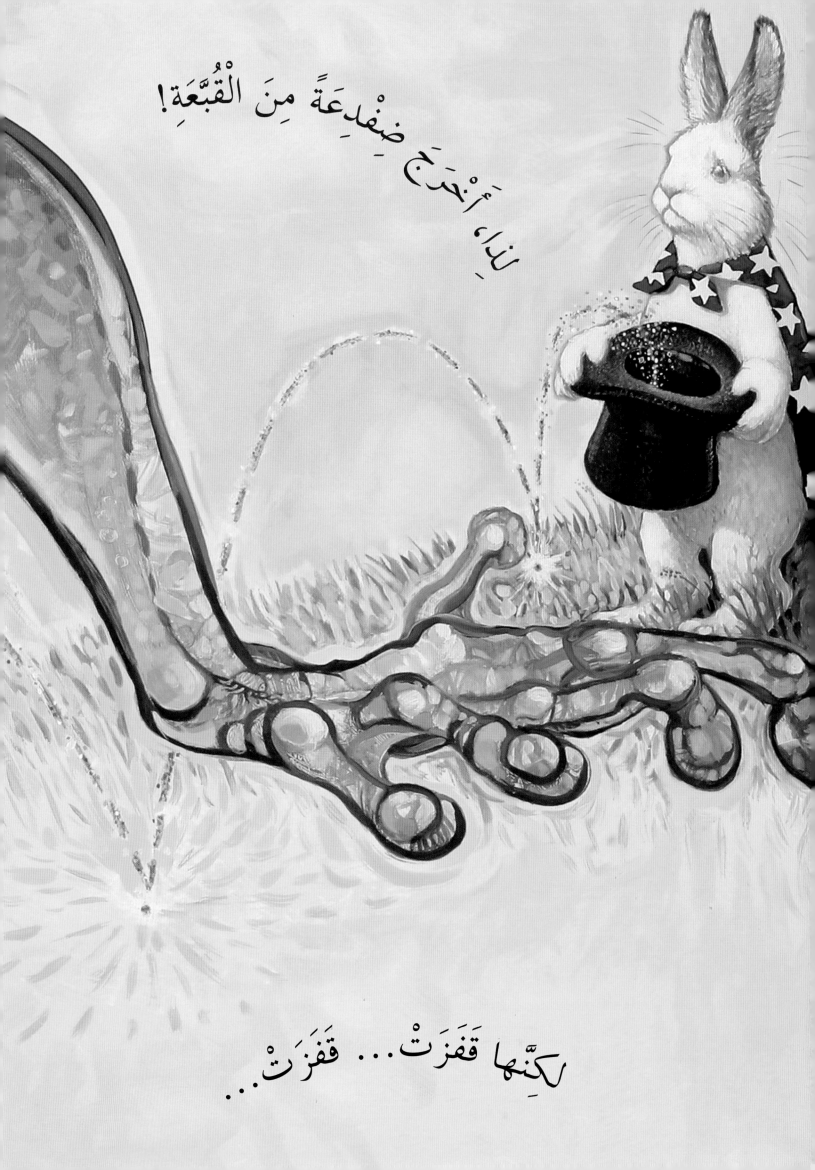

لِذا، أَخْرَجَ ضِفْدِعَةً مِنَ الْقُبَّعَةِ!

لكِنَّها قَفَزَتْ... قَفَزَتْ...

لَمْ يَكُنْ مَعَهُ أَحَدٌ
يُشارِكُهُ هذِهِ الْمُتْعَةَ.
فَقالَ: «أَنا بِحاجَةٍ
إِلى صَديقٍ».

كانَ كُلُّ شَيْءٍ مُمْتِعًا
وَمُسَلِّيًا، ما عدا
أَمْرًا واحِدًا:

وَكانَتْ أَطْيَبُ خُدْعَةٍ قامَ بِها هِيَ
عِنْدَما أَمْضى وَقْتَهُ في النُّزْهَةِ،
مَعَ مَأْكولاتِهِ الَّتي يُحِبُّها.

فروووووومْ!

بيبْ! بيبْ!

بيبْ! بيبْ!

كَما إِنَّهُ يَسْتَطيعُ أَنْ
يُخْرِجَ سَيّارَةً صَغيرَةً،
وَيَقودَها في الْجِوارِ.

وَآخَرَ... وَآخَرَ...

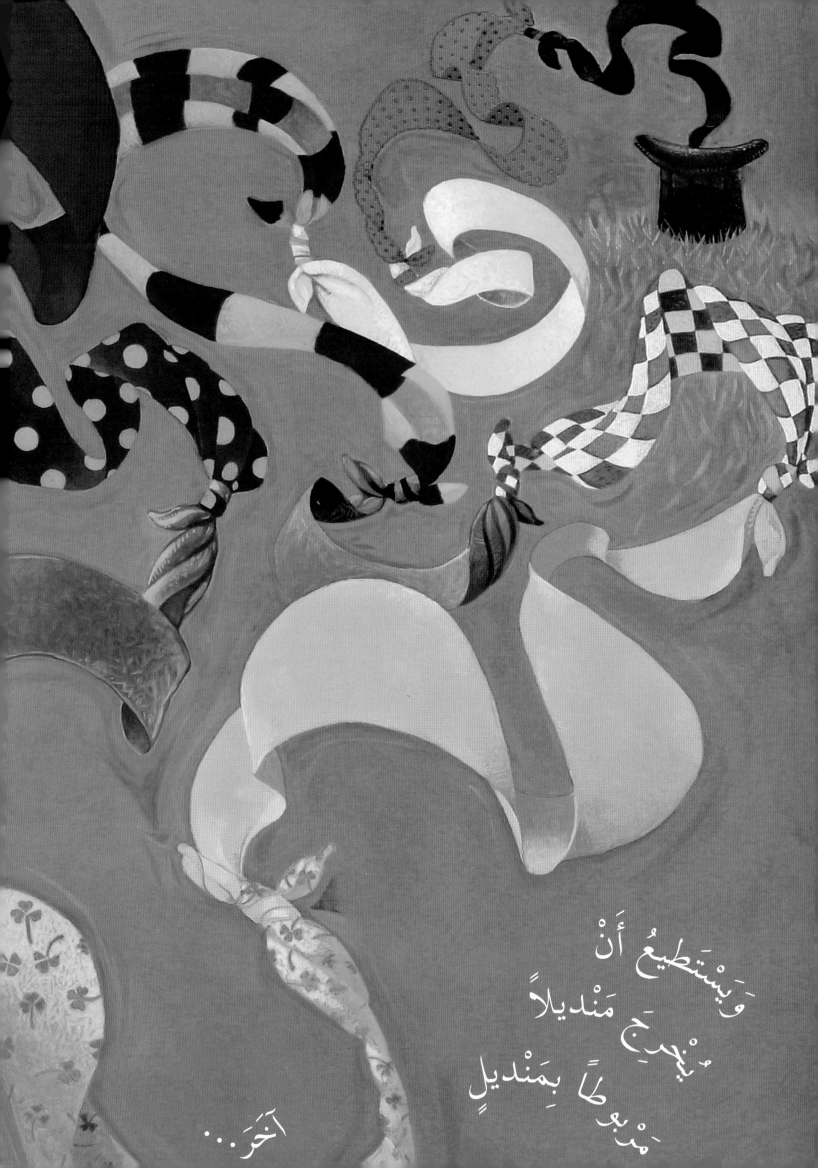

وَيَسْتَطيعُ أَنْ
يُخْرِجَ مَنْديلاً
مَرْبوطاً بِمَنْديلٍ
آخَرَ...

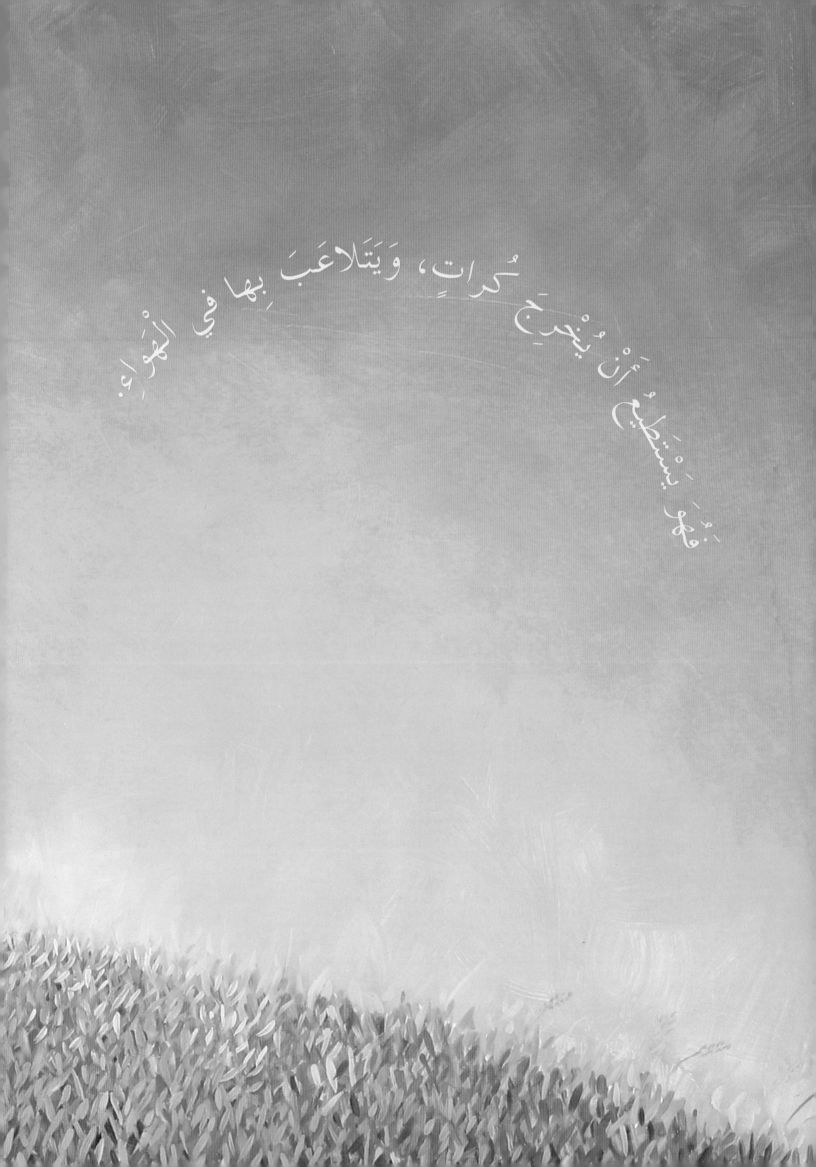

فَهُوَ يَسْتَطيعُ أَنْ يُخْرِجَ كُراتٍ، وَيَتَلاعَبَ بِها في الْهَواءِ.

بِأَلْعابِ الْخِفَّةِ كُلِّها.

وَوَجَدَ أَنَّهُ يَسْتَطِيعُ،
بِتِلْكَ الْقُبَّعَةِ، أَنْ يَقومَ

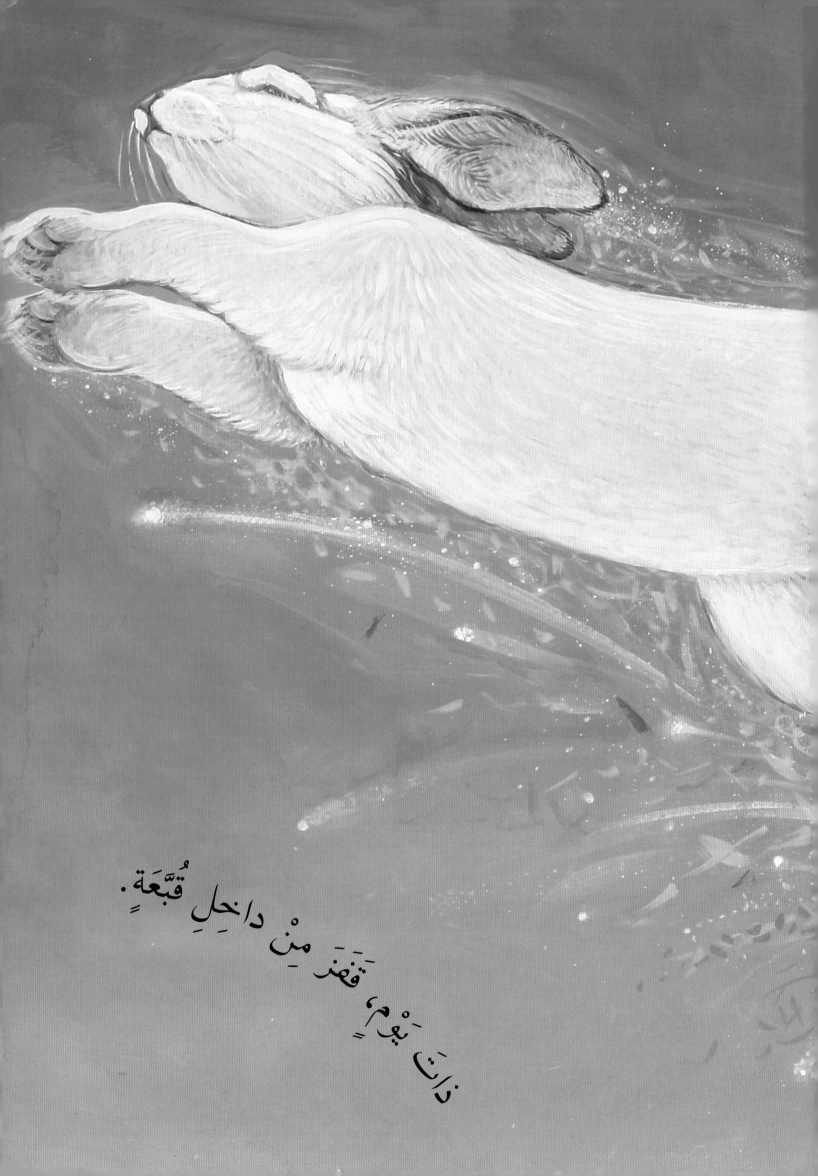

تَقْفِزُ مِنْ داخِلِ قُبَّعَةٍ.

دائِماً نَعَمْ،

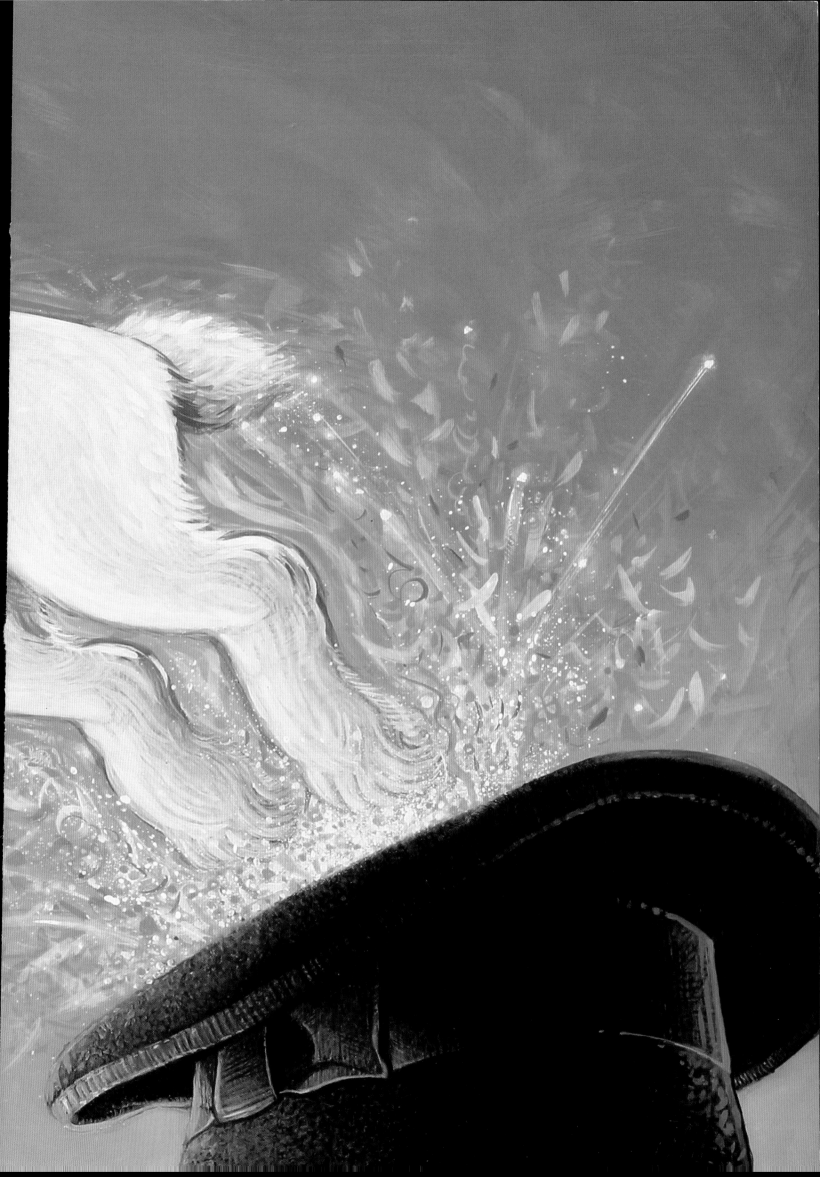

كانَ هُناكَ أَرْنَبٌ عَجيبٌ.

ISBN 978-0-439-86448-0

First Arabic Edition, 2006. Printed in China.

1 2 3 4 5 6 7 8 9 10 62 11 10 09 08 07

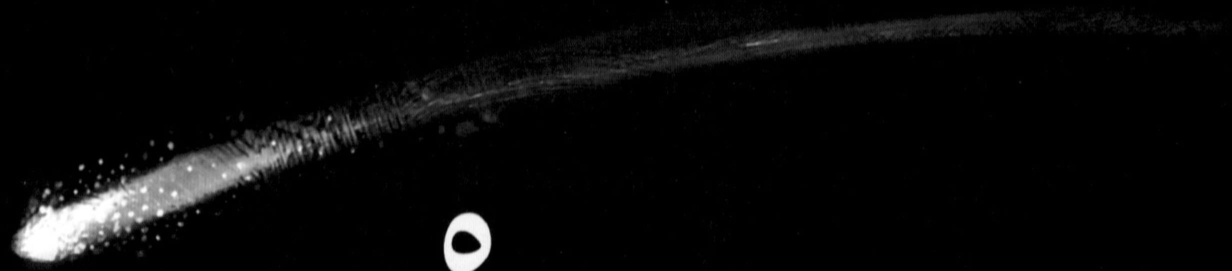

الأَرْنَبُ العَجِيبُ

تَأْلِيفُ وَرُسُومُ: رِتْشَارْد جيسي واتْسون